O NOME TRICERÁTOPO SIGNIFICA "ROSTO COM TRÊS CHIFRES". ELE MEDIA 9 METROS DE COMPRIMENTO E 3 METROS DE ALTURA. FOI UM DOS MAIS FORTES E TEMIDOS HERBÍVOROS QUE JÁ EXISTIRAM.

ELE TINHA NA CABEÇA UM ESCUDO DE QUASE 2 METROS E 3 PODEROSOS CHIFRES. SEU CORPO ERA ENCOURAÇADO, SUAS PATAS ERAM FORTES COMO PILARES E SUA VELOCIDADE CHEGAVA A 30 QUILÔMETROS POR HORA.

MESMO OS GRANDES DINOSSAUROS TINHAM MEDO DE ATACAR UM TRICERÁTOPO, PORQUE PODERIAM SAIR SERIAMENTE FERIDOS PELOS SEUS CHIFRES AFIADOS E PELAS SUAS VIOLENTAS INVESTIDAS.